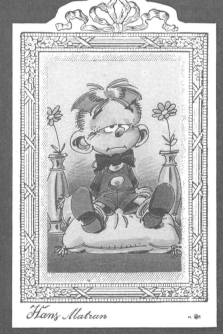

Hans Matran

Il y avait déjà LE GRAND SPIROU.
Désormais, il y aura LE PETIT SPIROU.

Comprenons-nous :
Même si LE PETIT est plus petit que LE GRAND
(qui est le plus grand)...

...LE PETIT, ce n'est pas le petit frère du GRAND.

LE PETIT SPIROU,
c'est tout simplement LE GRAND quand il était petit.

Mais attention :
En simplifiant, on pourrait penser que LE GRAND est
pour les grands lecteurs, et LE PETIT pour les petits...

Ce serait trop simple.

LE PETIT SPIROU est aussi bien pour petits et grands
que LE GRAND... (qui a déjà conquis tant de grands
et petits).
Vous suivez ?

Non ?

Alors le mieux, c'est encore que petits ou grands,
vous tourniez la page et découvriez vous-mêmes :
"LES AVENTURES DU PETIT SPIROU"...

...COMMENÇONS PAR LES COULISSES :

VERTIGNASSE

Prénom : Antoine.
Mon meilleur ami
depuis qu'on nous
a surpris à épier
par le trou de
la serrure
du vestiaire des
filles. Lui et moi,
c'est "A la vie,
à la mort!"On ne se
quittera jamais.
Sauf s'il me volait
ma fiancée...
Mais il ne ferait pas
une chose pareille.

SUZETTE

Son vrai nom,
c'est Suzanne
BERLINGOT.
C'est ma fiancée.
Enfin, je crois : elle
a son caractère.
Parfois, je ne sais
plus où on en est.
Grand-papy
prétend que c'est
cela, le mystère
féminin.
Fille du pâtissier.
Déteste qu'on la
prenne pour une
crêpe.

PONCHELOT

Nicolas, dit
"BOULE DE GRAS".
Mon deuxième
meilleur ami. Il
mange trop, celui-
là. Un jour, il va
éclater,tellement il
est trop gros.
Prétend que c'est
un problème d'hor-
mones, ou un truc
comme ça. Mon
œil! On me fera
pas croire qu'une
hormone puisse
manger autant.

Y'a des histoires qui commencent bien, mais qui finissent mal.

Celle-ci, c'est le contraire : ça commence pas terrible.

SNiRF
SNRL

Bon, je sais...

On va encore dire que je me complais à raconter des cochonneries. Mais comme dirait grand-papy quand il raconte ses blagues au bistrot...

"Que celui à qui ce n'est jamais arrivé me jette la première bière!"

SNRF
SNBL

SNRTTT

Dis donc, espèce de dégoûtant, tu pourrais utiliser ton mouchoir!

Il est déjà plein!

Prête-moi le T... le TT...T

!

TCHIAA

BONJOUR, DOCTEUR!

PROUUËËËTT

...SCUSE!

SNURT   SOB   FNIF

SNURF   FLURT   NIF   RNFL

SNURT

Chaque hiver, c'est pareil.

TOME & JANRY.

GOÛTE! J'T'EN AI LAISSÉ!

HEU...

GOÛTE, J'TE DIS!

Quoi que je fasse...

C'EST UNE RUBÉOLE SCARLATINÉE... MAIS TU RESTES MON FIANCÉ, HEIN?

HEU...

La contagion passe par moi.

Pas toujours tout de suite. Ça peut prendre quelques jours.

I.

On appelle ça "l'incubation".

SNIRFL

SNRT

FNURT

SNIRFL

BEUH

Et, avec moi, une bonne incubation peut aller chercher jusque dans les 40° de fièvre.

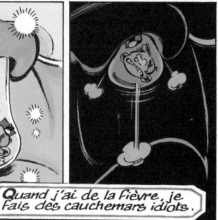

Quand j'ai de la fièvre, je fais des cauchemars idiots.

VOILÀ CE QU'IL TE FAUT UN BON GROS

?

UNE PART DE COGNAC, UNE PART DE RHUM, UNE PART DE VIN CHAUD, UNE CUILLER DE MIEL ET UN DOIGT DE PORTO. C'EST SOUVERAIN!

ÇA S'APPELLE UN "GROG."

QUOI? TU N'EN VEUX PAS?

CE N'EST RIEN, JE LE PRENDS À TA PLACE ET JE TE PROMETS DE NE RIEN DIRE À TES PARENTS.

GLOP!

Alors, c'est là qu'arrive le docteur Piquette.

TOME & JANRY

LE MÊME REMÈDE, MATIN ET SOIR. S'IL REFUSE DE LE PRENDRE, N'HÉSITEZ PAS À M'APPELER.

La médecine de choc du docteur Piquette est efficace, on ne le voit jamais malade.

HIC!

Depuis quelque temps même, on ne le voit plus du tout, son remplaçant pratique un autre genre de médecine...

DIS "TRENTE-TROIS"!

...La médecine "douce"! II

HEU... VINGT-SEPT.

?

COMMENT ÇA, "VINGT-SEPT"? C'EST "TRENTE-TROIS" QUE JE T'AI DEMANDÉ.

JE N'Y PEUX RIEN, ON N'AVAIT SEULEMENT APPRIS JUSQU'À VINGT-SEPT À L'ÉCOLE QUAND J'AI ATTRAPÉ MON INCUBATION !

!

Le docteur Piquette aurait ri de moi, mais pas une adepte de la médecine douce.

...ET PAS DE GROG SURTOUT !

IL SERA BIENTÔT RÉTABLI !

Pour soigner la fièvre, je préfère la médecine douce. Je fais autant de rêves, mais ils sont moins stupides.

Bien sûr, un matin, l'affreuse nouvelle tomba, telle une guil... guollit... une guillit...

Tel un couperet.

CETTE FOIS, TU ES GUÉRI, IL FAUT RETOURNER À L'ÉCOLE.

OUI, M'MÂN !

HÉ, VERTIGNASSE ! T'AS VU LE NOUVEAU DOCTEUR ?

ELLE EST SUPER !

MOI, CH'AI PAS, J'PRÉFÈRE QUAND C'EST UN MONSIEUR.

TOME & JANRY

À voir la tête de mes copains guéris, ce jour-là, j'ai été rapidement sûr que la médecine douce avait pas mal d'avenir devant elle.

Bref, c'est comme ça que j'ai décidé de faire mes études de médecine.

GNiiiii...

III

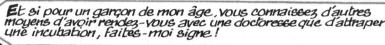

La médecine, c'est difficile. Une seule leçon ne suffit pas.

RRRRRR Zz FBIBLU...Z Z RRRRR Z

FLOUCH

BRRR...

Et si pour un garçon de mon âge, vous connaissez d'autres moyens d'avoir rendez-vous avec une doctoresse que d'attraper une incubation, faites-moi signe !

GIAGIA GIA

GIAGIA GIAGIA

HOÛ !

GIA GIA ?

CROÂH

WOF!

HOÛ!

GRRRR

MEOOW!

Au matin...

LES CHAUSSETTES MOUILLÉES DANS LES CHAUSSURES: ÇA, ÇA MARCHE !

GIA GIA GIA !

FLIC FLIC FLOC FLOC

TU ME LAISSES MORDRE UN COUP DANS TA TARTINE ?

SNURF ?

AT... AT... AT... !

TCHIAA

M'SIEUR... C'EST QUOI APRÈS "VINGT-SEPT"?

?

TOME & JANRY

Bref, le soir...

SALUT, SPIROU ! T'AS PAS ENVIE DE JOUER AVEC MOI ?

BEN, J'AI PAS LE TEMPS, CH'UIS DÉBORDÉ PAR MES ÉTUDES.

FLIC FLOC FLIC FLOC

TOME & JANRY

au repas...

A....A... AA...

TCHIAA

'SCUSEZ-MOI ! JE...JE CROIS QUE JE FAIS UNE NOUVELLE INCUBATION.

HEM... IL FAUDRAIT PEUT-ÊTRE APPELER LE DOCTEUR.

CE SOIR, IL FAUT DORMIR, NOUS L'APPELLERONS DEMAIN MATIN, SI CELA NE VA PAS MIEUX.

Pour le docteur, en général, je me lave partout. Cette fois-ci, j'ai insisté sur les dents.

P'T'ÊTRE QU'ELLE M'EMBRASSERA SUR LA BOUCHE !

A...

AAA...

FROCH FROCH FROCH

TCHIAA

Même le trilili doit être nickel. J'aime pas trop, mais certains docteurs demandent à l'examiner pour soigner.

DOKTUR JE V...

SNIRF GLA GLA GLA GLA GLA !

C'est pas facile de trouver des fleurs sous la neige.

SNURFL

ELLE PEUT VENIR.

DOKTUR JE VOU ÈME ! ♡

V

⑦

Bien sûr, le matin, ça n'allait pas mieux. Au contraire, je m'étais endormi...

SNURF

OH! LA GENTILLE LETTRE!

Docteur je vous aime

MOI AUSSI, JE T'AIME BIEN, MON PETIT BONHOMME!

?

TU ES MON PREMIER PATIENT DEPUIS MON ACCIDENT!

HIC!

DOKTUR JE VOU ÈME!

?

J'en veux pas spécialement au docteur Piquette d'être revenu mais, quand même, c'est pas pareil.

HEU... 'JOUR SPIROU!

COMMENT ÇA VA, TES ÉTUDES DE MÉDECINE?

ELLES SONT TERMINÉES!

AH? ÇA TOMBE BIEN. CE SERAIT POUR UNE CONSULTATION.

UNE CONSULTATION?

HEM... EUH... BEN, C'EST ICI, ÇA ME FAIT TOUT BIZARRE QUAND JE VOIS UN FIANCÉ!

MON CŒUR BAT PLUS VITE, COMME AVANT UN CONTRÔLE D'ALPHABET.

C'EST SÉRIEUX! SUIVEZ-MOI ET DITES-MOI CE QUE VOUS SENTEZ.

HOU! VOUS AVEZ FROID AUX MAINS, DOCTEUR!

ROU ROU

HEM... DITES "VINGT-SEPT".

...BIZZ!

HI HI! ÇA, C'EST RIGOLO COMME MÉDECINE!

VOUS NE PRESCRIVEZ PAS DE GROG?

JAMAIS, C'EST DE LA MÉDECINE DOUCE.

Là! Quand je vous disais que ça finirait bien...

COULEURS. STUF.

TOME & JANRY 81

MAIS !
QU'EST-CE QUE TU FABRIQUES?

GRIBOUILLAGES : JANRY
FAUTES D'ORTHOGRAPHE : TOME
COLORIAGES : STEPHANE DE BECKER

TU SAIS... HEM... C'EST VRAIMENT SYMPA D'AVOIR DEMANDÉ À TES PARENTS DE M'EMMENER AVEC VOUS À LA MER.

"VESSIE" AUSSI A L'AIR CONTENT! REGARDE-LE! À LA PLAGE, IL FAIT TOUJOURS ÇA.

FNOUF FNOUF

DÈS QU'IL REPÈRE UN OBJET INSOLITE, IL SE MET D'ABORD À LE RENIFLER. ENSUITE, IL BAT DE LA QUEUE...

?

ET HOP! IL LE BAPTISE D'UN PETIT COUP DE TRILILI! HI HI! ÇA S'APPELLE "MARQUER SON TERRITOIRE".

C'EST DU JOLI!

BON! ON NE VA PAS ÉPIER UN CHIEN TOUTE LA JOURNÉE. SI ON JOUAIT?

BONNE IDÉE! JE PROPOSE DE CREUSER UN GRAND TROU!

NE T'ÉLOIGNE PAS TROP, VESSIE!

DÈS QU'IL EST ASSEZ GRAND, TU TE METS DEDANS ET JE LE REBOUCHE.

SUPER!

HI HI HI! JE SUIS TOUT BLOQUÉ!

ZUT! JE NE VOIS PLUS LE CHIEN!

HÉ! NE T'ÉLOIGNE PAS TROP QUAND MÊME, HEIN!

VEEESSIE?

FNOUF FNOUF

!?

SUZEEETTE! PAR ICI!! TON CHIEN EST ICI!!!

C'EST SYMPA DE L'AVOIR RETROUVÉ, TIENS, JE T'OFFRE UNE LIMONADE!

BONNE IDÉE! ARROSONS ÇA!

77

SAPERLOTTE !!
VEUX-TU BIEN ME
RÉPÉTER TOUT ÇA
MON BONHOMME ?

LIBRAIRIE
LAPELURE

COIN
COIN

NOIR

JE DISAIS DONC :
"FRIVOLITÉS","SEXY-TABOU"
"PARIS-FRIPON" ET
"TOUNU magazine."

VOYEZ-
VOUS ÇA
!?!

...ET
"ZOUZOU,
LE PETIT
OURS" !

C'EST MON PÉPÉ
QUI M'ENVOIE ET...

"TON
PÉPÉ !",
BEN
VOYONS !

VOUS ÊTES LE
GRAND-PÈRE DU
PETIT SPIROU ?
FIGUREZ-VOUS QUE
VOTRE PETIT-FILS
EST CHEZ
MOI ET ...

AH !
VOUS
SAVEZ !

AH ! JE PENSAIS QUE
VOTRE PETIT-FI... AH, BON !

OUIOUI !
IL M'A DIT.

"PARIS-
FRIPON"
ET ...
BIEN !

TAGADAP

C'EST ÇA . AU PLAISIR,
MONSIEUR SPIROU.

N'OUBLIEZ
PAS "ZOUZOU,
LE PETIT
OURS ".

AAAAAAH... "ZOUZOU,
LE PETIT OURS" ! TOUTE
MA JEUNESSE ...

MERCI
FISTON !

SEXY-TABOU

PARIS
FRIPON

ZOUZOU
LE PETIT
OURS

TOME-JANRY   ASS. GAZZO

74

AAAAAA

KiLi KiLi KiLi !

T'ES FOU, NON ?

BUNK

PFF, C'EST TOI QU'ES FOLLE ! TANT DE CHICHIS POUR UN CHATOUILLIS DE RIEN DU TOUT !

JE SUPPORTE PAS, C'EST TOUT !

SOUS L'EAU, EN PLUS !

LES FILLES, C'EST DES MAUVIETTES ! C'EST PAS UN MEC QU'AURAIT FAIT TANT D'HISTOIRES !

M'WOUAIS ! ÇA, C'EST VITE DIT !

C'EST COMME ÇA ! MAUVIETTE QUAND MÊME ! LÀ !

¿!

PFF HÉ HI HEU...

TOME & JANRY

ARRÊTE ! HI, HI, HOU ! STOP, SUZETTE !

...T'AS RAISON, J'ME RENDS !

ℂ

94

LEÇON
D'AUJOURD'HUI:
LE
TRAMPOLINE

QUI
A DIT
"NUMÉRO
DE
CIRQUE"
?!

LE TRAMPOLINE EST UN ENGIN QUI PERMET AU SPORTIF D'AVOIR SUR LE MONDE UN POINT DE VUE ÉLEVÉ ET PRIVILÉGIÉ! OBSERVEZ ET PRENEZ EXEMPLE SUR MOI, VOUS DEVREZ LE REFAIRE!

KRK

...ET
VOUS EN
PREMIER,
MONSIEUR
SPIROU!

GAW

HEM,
HOP! HÉHÉ
...

~KRAK!

GAW

HEU...
HOP?

KRIK

GAW

GAW

?

?

M'SIEUR,
ATTENTION!

GAW

TOME & JANRY.

?
?
?

GAW

LAISSEZ-
MOI VOIR!
LAISSEZ-
MOI VOIR!

GAW

83

YOWOOOOOOOO

VLOUCH

ELLE EST BONNE !

PARAÎT QUE C'EST ENCORE PLUS GAI SANS MAILLOT.

PF... T'ES FOLLE, NON ?! ET SI ON SE FAIT PRENDRE, TOUT LE MONDE NOUS VERRA !

BAH ! SUFFIT DE PAS SORTIR DE L'EAU, HI HI...

CHICHE ! ON LES ENLÈVE SOUS L'EAU ET À "TROIS", ON LES BRANDIT POUR PROUVER QU'ON EST TOUT NU !

HI HI ! VILAIN DÉGOÛTANT ! D'ACCORD !

PRÊTE ? À LA UNE... HI HI !

À LA DEUX... HU HU !

HOP! HO HO!

HI HI !

TOME & JANRY.

?

TU PEUX SORTIR, MAINTENANT. PLUS PERSONNE TE VERRA.

PFF, C'EST LOIN ! ET SI J'ATTENDAIS LA MARÉE HAUTE..?

79

ENCORE UNE!

WOAW! ELLE EST GROSSE!

REGARDE! ELLE EST OUVERTE!

C'EST COMME ÇA QU'ELLE RESPIRE. OÙ VA-T-ON LES METTRE? J'AI OUBLIÉ MON SEAU?

BEN, DANS LE MAILLOT! VOILÀ LA SOLUTION!

HOP!

!

PAS BÊTE!

OH! ENCORE UNE! ELLE EST ENORME!

ET HOP! À LA CASSEROLE!

ÇA NE TE FAIT PAS PEUR, CES TRUCS VIVANTS DANS TON MAILLOT?

"VIVANTS"?

BEN OUI! LES MOLLUSQUES ONT UNE FORCE INCROYABLE! 'Y PARAÎT QUE DES PLONGEURS ONT PARFOIS EU LE PIED PRISONNIER DE GROS COQUILLAGES.

QUOI?! TOUT UN PIED?!

CLAP!

PFFF... "PINCE-À-HUÎTRES"!

?

TOME & JANRY

80

15

PFF !! C'EST GRAND ! T'ES SÛR DU CONTOUR ?

J'LE CONNAIS PAR CŒUR, MON COUSIN A LE MÊME SUR L'ÉPAULE.

DES DESSINS SUR LE SABLE ?! VOILÀ UNE DÉMARCHE ARTISTIQUE QUI CHANGE DE VOS MÉFAITS HABITUELS, GARNEMENTS !

M'SIEUR L'ABBÉ !? VOUS ICI, À LA PLAGE ?

LES SŒURS DU COUVENT DES ANGES ONT BIEN VOULU M'EMMENER.

JE PEUX PARTICIPER ?

TOME + JANRY.

BEN ... IL RESTE À PLACER CES DEUX GROSSES ÉTOILES DE MER, LÀ-BAS, ET C'EST FINI !

DIABLE ! C'EST UN VASTE DESSIN !

ET HOP! COMME CECI ?

MMH ..., DE SI PRÈS, DIFFICILE DE VOIR CE QUE CELA REPRÉSENTE.

'FAUT LE VOIR D'EN HAUT. LE COUSIN DE VERTIGNASSE EST PILOTE.

D'EN HAUT, VRAIMENT? HI HI ! DU SOMMET DE CETTE DUNE, JE VERRAI MIEUX À QUEL CHEF-D'ŒUVRE J'AI CONTRIBUÉ !

78

?!

HORS DE MON TAPIS DE BAIN AVEC TES POILS ERRANTS, VAGABOND À PATTES !!!

KAÏ!

CE N'EST PAS BIEN DE FRAPPER VESSIE, C'EST UN BON CHIEN !

?
ADADAS

ET D'ABORD, IL NE VOUS A RIEN FAIT, D'ABORD !

LAISSE, SUZETTE ! LE BON DIEU FAIT PLEUVOIR LES CALAMITÉS SUR CEUX QUI BRUTALISENT LES ANIMAUX !

J'L'AI PAS FAIT EXPRÈS, LÀ !
ALLEZ JOUER !

ZZZ ZZZ
AU SECOURS! AU SECOURS!
ZZZ

AU SECOURS ! MAÎTRE NAGEUR !
CIEL !

COURAGE, GENTE DAME, J'ARRIVE !

FLOUCH FLOUCH FLOUCH FL

TOME & JANRY

MON CHEVALIER ! MON HÉROS !
TENEZ BON, MA MIE !

HORREUR! UNE VAGUE ÉNORME...

ZZZZ
ELLE VA NOUS SUBMERGER ELLE...

89

QUI A DIT "DEUX BOUDINS BLANCS"?

AUJOURD'HUI: leçon de course-relais (exercice pratique)

NON, MÔSSIEUR SPIROU! IL S'AGIT EN FAIT DE DEUX **TÉMOINS** DE **COURSE RELAIS**! POSTEZ-VOUS IMMÉDIATEMENT EN DEUX ÉQUIPES, LÀ-BAS, LE LONG DU PARCOURS. PONCHELOT ET MOI ASSURERONS LE DERNIER RELAIS DE CHAQUE ÉQUIPE!

ALLEZ, HOP!

UNE MINUTE PLUS TARD...

PRÊTS?

PARTEZ!

ET TOI, MON BONHOMME, ACCROCHE-TOI À TON SLIP. TU VAS VOIR CE QUE C'EST QU'AFFRONTER UN ATHLÈTE!

HÉ MAIS?!

MAIS QU'EST-CE QU'ILS FICHENT LÀ, MON ÉQUIPE?!

ET ALORS! ÇA SE TRAÎNE, LÀ! LES AUTRES GAGNENT MAINTENANT, C'EST ENCORE MOI QUI VAIS DEVOIR TOUT RATTRAPER!

PFF PF

PFF... VOILÀ M'SIEUR!

MERCI, GRAINE DE MOULE!

POUF!

POUF!

PF! J'AI BIEN FAILLI LE PERDRE, CE TÉMOIN...

POUF

POU

JE L'AVAIS LÂCHÉ! IL EST ALLÉ ROULER À DEUX DOIGTS DE L'OS D'UN CHIEN ASSOUPI...

MAIS... IL EST DANS TA MAIN!

TIENS?! C'EST VRAI, ÇA! QU'EST-CE QUE J'AI DONNÉ AU PROF, MOI?

POUF

POUF

TOME & JANRY

30

19

Chair papa et maman,

J'espère que tou va bien pour vou là-bas chez tante Fistule. Ici, grand-papy va bien aussi, il dort tout le temps. Quant à moi, il vaudrait mieu vou assoir pour lire ce que je vais vous apprendre.

Moi aussi je vais bien maintenan. Le renart qui m'a mordu n'avai pas la rage. Le dokteur vérifie koncernant le tifus.

Ici, au commissariat, les gendarmes on bien voulu que je vou prévienne moi-même de ce gigantesk incendie aukel j'ai échappé. C'est la première fois que je voi brulé un zoo.

et lui aussi, m'a dit le commissaire en me confisquant mes allumettes quant le fourgon ki m'emmenait a aussi brulé.

Je crois qu'il les a gardé avec lui à l'hôpital. Je n'ai pas eu l'oceasion de les lui demandé...

...à cause de la cohue des animause en déroute et des vingt sept autres grant brulés.

De toute façon, à présent, tout va mieu. Les pompiers son arrivé à limité à troi paté de maison la progressiont des flames ki menassait notre propriété.

Voilà, vous savé tout.

Sauf une chose...

TOME & JANRY.

...Il n'y a pas eu de renart, mi de zoo, ni de commissaire, mi d'incendie.

En fait, come vous le découvrirez en rentrant demain. J'ai seulement eu un petit "insuffisan" en ortograf et un minuscule "médiocre" en calcul...

...et je voulai vou aider à relativ relativisé des choses.

Votre petit Spirou

91.

TOME & JANRY

TOME & JANRY

"AAAAAH ! FREINE ! FREINE !"

" IMPOSSIBLE ! LES FREINS ONT LÂCHÉ !"

VRR VROOOAA

TOME & JANRY

BEUHEUHEU...
SNIF ! SOB !
?

BEN C'EST TOI, BOULE DE GRAS, QU'EST-CE QUI T'ARRIVE ?

J'S'RAI JAMAIS GRAND ! BEUH...

COMMENT ÇA ?

SNIF ! C'EST MES PARENTS, PUIS TOUT LE MONDE AUTOUR DE MOI, SNIF...

CHIPS

ILS DISENT QU'EN NE MANGEANT QUE DES BONBONS ET DES FRIANDISES, JE NE GRANDIRAI JAMAIS !

QUOI ?! T'ES SÛR ?

T'IMAGINES ? RESTER TOUT P'TIT TOUTE NOTRE VIE...

NOTE... PARFOIS, JE ME DEMANDE COMMENT ON S'RA, SI ON DEVIENT GRAND...

CH.

DEUX GROS CORNETS À SIX BOULES CHACUN !

PAREIL POUR MOI !

?

CRÈME GLACÉE

84.

PIQUE-NIQUE NIQUE NIQUE S'EN ALLAIT TOUT SIMPLEMENT...

COMPAGNIIiiiE, HALTE ! VOILÀ L'ENDROIT IDÉAL POUR NOTRE PIQUE-NIQUE !

QUE CHACUN DÉBALLE LES PROVISIONS QU'IL TRANSPORTAIT !

J'AI DIT "DÉBALLE" ET PAS "PILLE", GARNEMENTS ! PAS QUESTION DE SE SERVIR AVANT LA PRIÈRE ! DEBOUT !

...MÉGNÉMÉGNÉPOUR CE REPAS, SEIGNEUR, LÀ-HAUT DANS LE CIEL.

HEM ! AMEN-ET-LE-DERNIER-ASSIS-EST-DE-CORVÉE-VAISSELLE !

HOP !

HÉ, HÉ, HÉ !

BOUF !

?

MAIS ?

?

?

?

LE CAMEMBERT !

QUI EN A PROFITÉ POUR CHAPARDER LE CAMEMBERT ? QUE LE COUPABLE LÈVE LA MAIN !

? ? ? ?

TOME & JANRY

PAS DE RÉPONSE ? ALORS ... LES GRANDS MOYENS :

MON DESSERT À CELUI QUI DÉNONCE LE COUPABLE !

AH ! DANS CE CAS...

93

... PLUS QUE CINQ MINUTES AVANT LA REMISE DES COPIES, TANT PIS POUR CEUX QUI NE CONNAISSAIENT PAS LA LEÇON !

SCRITCH SCRITCH

SCRITCH SCRITCH

SCRATCH SCRITCH

?

SCRITCH SCRITCH SCRITCH

SCRITCH SCRITCH

TOME & JANRY.

TOP! C'EST TERMINÉ. JE RAMASSE LES COPIES.

PLUS TARD...

NICOLAS PONCHELOT: BRAVO.

SUZETTE BERLINGOT: SUFFISANT.

QUANT À MONSIEUR SPIROU ET SON VOISIN ...

IL FAUDRA QU'ILS M'EXPLIQUENT CE BIEN CURIEUX MYSTÈRE !

82

GLIB
GLOUB
GLUB
BLOB
BLEB

TOME & JANRY.

SALUT, GRAND-PAPY! ÇA A L'AIR BON, CE QUE TU BOIS. TU M'EN SERS UN VERRE?

?

HEIN?! HEU...PAS QUESTION! POUR CELA, IL FAUDRA QUE TU GRANDISSES! CE QUE JE BOIS N'EST PAS BON POUR LES PETITS ENFANTS!

!

D'APRÈS MONSIEUR LE DOCTEUR, CE N'EST PAS BON POUR LES GRANDS-PAPYS NON PLUS...

N'EST-CE PAS, GRAND-PAPY?

HEU...

HEM, BON! C'EST PAS TOUT ÇA. JE CROIS QUE JE VAIS ALLER LIRE UN BON BOUQUIN! QU'ON NE ME DÉRANGE PAS!

HÉ HÉ!

TILILIILIIII POPS!

HEM! GRAND-PAPY!

?

...TU NE TROUVES PAS QUE J'AI VACHEMENT GRANDI DEPUIS CINQ MINUTES?

97

27

"JIM" BRIOUL EST MUSCLÉ JUSQU'AUX SOURCILS. AU DESSUS, C'EST L'ANÉMIE.

HEU... HALTE, ÉTRANGER ! CETTE PASSERELLE CONDUIT À LA DIMEN-SION PROTONIQUE.

ø?

CAISS QU'EST-CE QUE TU RACONTES MINUS ? T'A'S DU OUBLIÉ TA DERNIÈRE RACLÉE ?

HEU... BEN, C'EST BIENTÔT L'HEURE DE L'ACCÉLÉRATEUR DE PARTICULES. IL FAUT PORTER DES BOTTES PROTECTRICES POUR TRAVERSER LA PASSERELLE.

KRK

DE QUOI ? À SE PROTÉGER POUR FRANCHIR UNE PASSERELLE DE CHEMIN DE FER ?

C'EST À CAUSE DE LA DÉGELÉE PROTONIQUE, LE CHOC DE L'HYPERESPACE...

'VOUDRAIS BIEN VOIR $ ÇA, BANDE DE MABOULÉS !

'TENTION ! VOILÀ L'ACCÉLÉRATEUR DE PARTICULES QUI S'APPROCHE !

TUUUT TUUUT

PRÉPAREZ-VOUS ! DANS UNE SECONDE, NOUS SERONS PLONGÉS DANS L'HYPER-ESPACE !

TCHOUF TCHOUF TCHOUF TCHOUF

?

TOME & JANRY

PF ! C'EST UNE VIEILLE LOCO À VAPEUR, VOTRE ACCÉLÉRATEUR MACHIN !

TCHOUF TCHOUF TCHOUF

BOTT BOTT BOTT

?

?

?

MAIS ? QUE... ?

LA DÉGELÉE PROTONIQUE, ÉTRANGER, ON T'AVAIT PRÉVENU !

85

FISTON, QU'EST-CÉ QUE TU DIRAIS D'UN PETIT TOUR AU PARC?

?

GÉNIAL! MAIS SI ON ALLAIT PLUTÔT AU CINÉMA?

TUT-TUT-TUT! UN BON BOL D'AIR TE F'RA DU BIEN, ET PUIS 'Y A DES TAS DE PETITES FILLES...

...TU TE F'RAS DES AMIES! D'AILLEURS, À CETTE HEURE-CI...

PARC FLEURET-CONTÉ

...ON DEVRAIT VOIR ARRIVER LA PETITE RAOULETTE!

PFF, CELLE-LÀ! ELLE CHIQUE SES CROTTES DE NEZ!

AH! QUEL HASARD! LA VOILÀ JUSTEMENT!

HÉ, HÉ... ET ACCOMPAGNÉE DE SA GRAND-MAMU,

JOLI BRIN DE FILLE!

clic!

BIEN! SOYEZ SAGES! NOUS SOMMES SUR LE BANC, LÀ-BAS, PRÈS DU BOSQUET.

SALUT, RAOULETTE! ÇA VA, LE GARDE-MANGER?

BINK!

PÉPÉÉÉÉÉ!

TOME & JANRY

?

ALORS, CE BOL D'AIR?

'FAUT DEMANDER À PÉPÉ! C'EST LUI QU'EN A PROFITÉ LE PLUS!

98

HOHOHO!

GLOB! GLOB!

SPRRLL!

HA HABLB!

HI HI HI !

HU HU !

HOP!

PLOUF!

!

?

HI HI !
... C'EST MARRANT, LE BASSIN.

OUAIS ! DOMMAGE QU'ILS METTENT DU CHLORE ! ÇA PIQUE AUX YEUX APRÈS.

C'EST POUR DÉSINFECTER L'EAU, IL PARAÎT QU'ILS METTENT AUSSI UN PRODUIT INVISIBLE QUI DEVIENT ROUGE AUTOUR DE CEUX QUI FONT PIPI DANS L'EAU.

BAH?

SÛR ! MÊME QUE ÇA SERT À RIEN DE S'ÉLOIGNER: LA TACHE ROUGE, ELLE TE SUIT !

PFFF! TOUT ÇA, C'EST DES BLAGUES !

TOME & JANRY

COMMENT PEUX-TU EN ÊTRE AUSSI SÛR ?

AILLEURS, J'SAIS PAS, MAIS POUR ICI, J'LE SAIS, C'EST TOUT !

HÉ, HÉ SPIROU! VIENS DANS L'EAU ! C'EST MARRANT, LE BASSIN !

BAH! TOUT COMPTE FAIT, JE PRÉFÈRE LE BAC À SABLE.

DOUCHE

87

C'EST CINQ FRANCS !

?

HEM...

EXCUSEZ-MOI, JEUNE HOMME... HUM.

JE SUIS UN PEU NERVEUX. CHAQUE JOUR, CES PETITS GARNEMENTS ME VOLENT DES FRIANDISES.

MAIS JE LES CONNAIS! J'ATTENDS DE LES PRENDRE SUR LE FAIT!

... ILS ONT UN MENEUR

... ILS SONT TOUTE UNE BANDE!

DONT UN AVEC DES LUNETTES QUI ...

... QUI VOUS RESSEMBLE ÉTRANGEMENT, D'AILLEURS!

LE PETIT ANTOINE VERTIGNASSE ?!

AU FOND!

TOME & JANRY

UN JEUNE COUSIN ÉLOIGNÉ! HÉ, HÉ!

VOUS ME RASSUREZ!

... PARCE QU'ILS ONT TOUS LES TRUCS!

?

CHOCO

99

31

SLURP
CHOCO

Leçon d'aujourd'hui

SAUT AU CHEVAL-SAUTOIR

QUI A DIT "CHEVAL À BASCULE"?

JE VOIS... N'IMPORTE QUOI POUR VOUS FAIRE REMARQUER, MONSIEUR SPIROU!

ALLEZ DONC M'INSTALLER CET ENGIN AU MILIEU DE LA SALLE! CELA VOUS FERA LES MUSCLES!

POURSUIVONS: CET ENGIN, DISAIS-JE, EST UN CHEVAL-SAUTOIR CAR IL RESSEMBLE À S'Y MÉPRENDRE...

...À UN CHEVAL SUR LEQUEL ON SAUTE, HE, HÉ!

HOP!

DÉMONSTRATION! ATTENTION!

~KRR

TOUTE UNE NUIT À RÉPÉTER! 'PAS LE MOMENT DE RATER...

HOP!

GAW

TOME & JANRY

VLANG BELENG VRAK

...LES ROULETTES! JE CROIS QUE J'AI OUBLIÉ DE LES...

'TE RETOURNE PAS! C'EST MÉGOT, IL EST PRÊT À TOUT POUR SE FAIRE REMARQUER!

100.

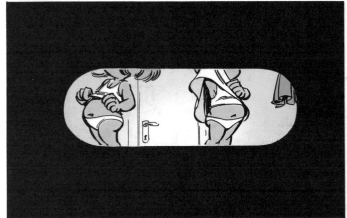

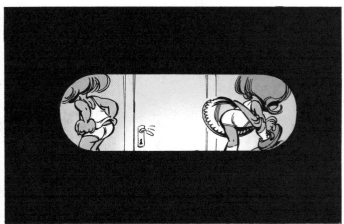

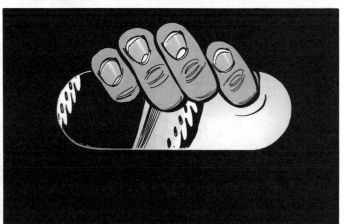

"JIM" BRIOUL EST UN CAÏD D'AU MOINS NEUF ANS ET DEMI.

HALTE ! POUR LE BRONZODROME, C'EST TROIS CHOCOLATS !

?

JIM BRIOUL NE PAIE QU'AVEC DES BAFFES, COYOTE ! C'EST QUOI, VOTRE BRONZODROME ?

ON ENTRE BLANC COMME UNE ASPIRINE ET SORT COMME UN CHOCOLAT ! MONTRE-LUI, VERTIGNASSE !

OK !

J'VOIS PAS L'INTÉRÊT ! MES COPAINS ET MOI, ON N'AIME PAS LES BAMBOULAS !

LES FILLES, JIM ! AVEC LE TEINT BRONZÉ, ON LES EMBALLE DRÔLEMENT PLUS VITE !

ET VOILÀ LE T'AVAIL ! À MOI LES JOLIES FILLES, P'ÉSENTEMENT !

?

À MON TOUR ! TIRES-TOI DE LÀ, MINUS !

IL FAUT COMPTER DEUX MINUTES ! ON STOPPE EN TIRANT LA FICELLE.

VUS !

RÉGLEZ VOTRE BASTRINGUE SUR "TURBOT", BANDE DE NULS, J'VEUX RESSEMBLER À UNE TABLETTE SUCHARD !

TROIS, DEUX, UNE... TERMINER.

TOME & JANRY.

BROF !

?!

HÉ, LES COPAINS ! 'Y A UN NOUVEAU BOUDIN NOIR DANS LE QUARTIER !

DOMMAGE QUE BRIOUL SOIT PAS LÀ, ON VA ENCORE S'AMUSER SANS LUI...

JOOO

DIS, PÉPÉ ! TU ME RACONTES UNE HISTOIRE ?

QUEL GENRE D'HISTOIRE, FISTON ?

BEN ... PAR EXEMPLE, POURQUOI, CHAQUE ANNÉE, À LA CHANDELEUR, TU VAS FAIRE UN TOUR AVEC TES VIEILLES CHAUSSURES ?

C'EST UNE LONGUE HISTOIRE, ÇA ! PRENDS TON BALLON ET ALLONS NOUS PROMENER !

CHIC !

CES CHAUSSURES, MON GAMIN, DATENT DU TEMPS OÙ J'ÉTAIS UN FRINGANT JEUNE HOMME.

CHER

À L'ÉPOQUE, MA PETITE AMIE ET MOI ENVISAGIONS DE NOUS MARIER ... IL ME FALLAIT UNE BELLE PAIRE DE CHAUSSURES, POUR LA CÉRÉMONIE.

CORDONNERIE

La Semelle

UNE QUALITÉ SUPÉRIEURE FAITE POUR DURER DES ANNÉES

...UN BON VENDEUR SÉRIEUX ET BEL HOMME EN PLUS, MON AMIE EN EST TOMBÉE AMOUREUSE.

ET MOI, J'AI GARDÉ LES CHAUSSURES. C'ÉTAIT LA CHANDELEUR. CHAQUE ANNÉE, DEPUIS, JE CÉLÈBRE L'ÉVÉNEMENT EN ALLANT FAIRE UNE BALADE AVEC ELLES AUX PIEDS.

ELLE EST TRISTE, TON HISTOIRE, GRAND-PAPY !

BAH ... AVEC LE TEMPS, ON FINIT PAR EN RIGOLER. ET EN PLUS, PEU APRÈS, J'AI RENCONTRÉ TA GRAND-MÈRE.

TIENS ! POSE DONC TON BALLON LÀ !

?

HOP!

BOTT!

TOME & JANRY

BELENG KLENG

VIENS ! ON VA T'ACHETER UN NOUVEAU BALLON !

...COMME CHAQUE ANNÉE.

CORDONNERIE

Semelles
DEPUIS 1806

(103)

TOME&JANRY

CE JOUR-LÀ, À LA CANTINE...

BEUH! DE LA BLANQUETTE!

TU PARLES! J'EN AI ENCORE MANGÉ HIER À LA MAISON!

DITES, LES COPAINS, VOUS ÊTES PRÊTS POUR UN PETIT CHAHUT?

HI HI

HÉHÉ

OUAIS!

ATTENTION, APRÈS MOI: UN... DEUX...
"LES CUISTÔÔÔTS..." ♪♫♪♫

...C'EST DE LA RACAILLE DES EMPOISONNEUUURS, ♪ DES BRIGANDS... ♫

LES CUISTÔÔÔTS, C'EST DE LA RACAILLEUUUH! ♪♫

BONJOUR! L'ANCIEN CUISINIER A PRIS SA RETRAITE, C'EST MOI LE NOUVEAU ET...

LE PREMIER QUI FINIT PAS SON ASSIETTE PASSE À LA MARMITE!

TOME & JANRY

GLOP   CHOMP   MACH   MIOM

EN...GA...GÉ

JE VOUS EN AI MIS DE CÔTÉ, MONSIEUR LE DIRECTEUR.

SUPER!

107

TOME & JANRY

TOME & JANRY

TOME & JANRY

EH BÉÉÉ !

POUR QUI TU TE FAIS BEAU COMME ÇA, GALOPIN ?

BEN HEUREUX... J'AI RENDEZ-VOUS AVEC SUZETTE ! ON EST FIANCÉS, D'ABORD.

UN RENDEZ-VOUS ! OÙ DONC ?

DANS LA VIEILLE CITROËN DU PETIT BOIS ... À L'ABRI DES REGARDS, HÉ, HÉ !

HÉ ! HÉ !

TOME & JANRY

L'ÉMOTION FORTE AU VOLANT D'UN BOLIDE ; ÇA AU MOINS, ÇA ÉPATE LES FILLES !

HÉ, HÉ !

TCHAO ! FAUT QUE J'Y AILLE !

BREF...

...PREM' ! HÉ, HÉ !

(108)

GRAND DIEU ! C'EST QU'ON SE PERDRAIT FACILEMENT AVEC CE BROUILLARD...

VIENS MON PETIT GÂÂÂÂRS EMBOÎTE MON PÂÂÂÂS... ♩ ♪

NOUS ALLONS DEVOIR ABRÉGER CETTE RANDONNÉE !

ÇA S'ÉPAISSIT ! SERREZ AUTOUR DE MOI, LES ENFANTS !

NOUS FINIRONS BIEN PAR TOMBER SUR UN VILLAGE...

HEM... LA PROVIDENCE GUIDERA NOS PAS !

CROA CROA

AH ! ATTENDEZ ! IL ME SEMBLE BIEN RECONNAÎTRE ... VOYONS...

BIEN SÛR ! CE NE PEUT ÊTRE QUE SAINT-FRUSQUIN, LE VILLAGE DU COUVENT DES SŒURS URSULINES, DE VRAIES SAINTES !

GAUDRIOLS SUR GIRONDE

TELLEMENT HOSPITALIÈRES, ET AVEC QUI JE CONVERSE VOLONTIERS LORS DE MES RARES PASSAGES DANS LA RÉGION.

NOUS VOILÀ SAUVÉS !

AH ! JE RECONNAIS AU TOUCHER LA GROSSE PORTE DU PRESBYTÈRE.

TOME & JANRY

ENTREZ, LES ENFANTS ! QUE JE VOUS PRÉSENTE MES VIEILLES AMIES.

109

42

TOME & JANRY

LE DOCTEUR LUI A DÉFENDU D'EN BOIRE. ALORS, IL VIENT ICI AU GRENIER POUR LE FAIRE EN CACHETTE...

ATTENDS, JE LA TIENS...

...LA PETITE LIQUEUR CLANDESTINE DE GRAND-PAPY!

GLOP! FAMEUX!

TU M'EN LAISSES GOÛTER?

PFOU! C'EST FORT!

OUAIS! ÇA DONNE CHAUD... HUM... ON DEVRAIT SE METTRE À L'AISE...

BEN, HUM... J'VEUX BIEN ME METTRE À L'AISE SI TOI AUSSI TU TE METS À L'AISE...

BONNE IDÉE... LE TEMPS DE ME RÉCHAUFFER UN COUP.

GLOP!

HU HU!

HÉHÉ... HEU... TU SAIS, SUZETTE... J'AI L'AIR AU COURANT COMME ÇA MAIS...

TU SAIS QUE J'AI JAMAIS... HEM... VU UN ROUDOUDOU? ...HEM!

UN ROUDOUDOU DE P'TITE FILLE?

BEN... J'VEUX BIEN T'MONTRER MON ROUDOUDOU, SI TU ME MONTRES TON TRILILI!

HEM... MARCHÉ CONCLU, MAIS...

TÔME & JANRY

JE PRENDS ENCORE UN P'TIT COUP, POUR ME DONNER DU COURAGE.

HEU... TOUT COMPTE FAIT, FAUDRAIT EN LAISSER À GRAND-PAPY!

111

COCORiiiiiiiiiiicOoo

CLiC !

ZZZ

ZZZ

SALUT !
BiEN DORMi ?

...BEUH ! ET TOI, EN
FORME POUR LE COURS
DE GYM ?

ZZ

ZZ

TU RIGOLES ?
CE MATIN,
J'AI FAiLLi
ME TROMPER
D'ÉCOLE !

DINGELINGELING

C'EST
L'HEURE !
ON Y VA

ZZ

DIS
DONC,
VERT'...

...OUAiS ?

TOME & JANRY

CHEZ TOI, ILS SONT
RANGÉS OÙ, TES
SLIPS NEUFS ?

BEN, DANS UN
TIROIR AVEC CEUX DE
TOUTE LA FAMILLE

ET
TOI ?

PAREIL...

?

112

MONSIEUR MÉGOT

Le prof de gym.
Désiré de son prénom;
indésirable auprès de
ses élèves.
Auteur de la formule :
"Le sportif intelligent
évite l'effort inutile".
Boit.
Fume.
Boit.
Fume.
Craque de partout.

L'ABBÉ LANGÉLUSSE

(Hyacinthe.)
C'est le gardien
vigilant des âmes
qui vivent à l'ombre
du clocher.
Epie mes promenades
avec Suzette
au petit bois.
Parle parfois avec
"Lui"!
Aurait déjà sa place
réservée *"Là-Haut"*.
Et on ne rigole pas
avec ces choses-là.

GRAND-PAPY

(Je l'appelle Pépé.)
Aurait connu
les tranchées.
Fume la pipe sans
avaler la fumée.
Lauréat invaincu du
Rallye des Ancêtres
à roulettes.
Porte un dentier
et prend des bains
de pieds aux algues
aromatiques.
Complètement fondu.
C'est ma grande
personne préférée.

TOME + JANRY

Dépôt légal : mai 1993 — D.1992/0089/72
ISBN 2-8001-1926-8 — ISSN 0776-2844
Imprimé en Belgique par Proost / Fleurus.